생명나무 향기 4

생명나무 향기 4

발 행 | 2023년 11월 6일
저 자 | 양대열
펴낸이 | 한건희
펴낸곳 | 주식회사 부크크
출판사등록 | 2014.07.15.(제2014-16호)
주 소 | 서울특별시 금천구 가산디지털1로 119 SK트윈타워 A동 305호
전 화 | 1670-8316
이메일 | info@bookk.co.kr

ISBN | 979-11-410-5090-0

www.bookk.co.kr
ⓒ 생명나무 향기4 2023

생명나무 향기 4

양 대 열 지음

목 차

새 노래를 주셔서 노래하며 생명을 나누고
아버지의 마음을 나누게 하신
생명의 주님을 찬양합니다.

성경 말씀으로 머리말을 대신하고자 합니다.
오직 주님께 영광을!!

여호와는 나의 능력과 찬송이시요 또 나의 구원이 되셨도다
(시 118:14)

하나님이여 내 마음이 확정되었고 내 마음이 확정되었사오니
내가 노래하고 내가 찬송하리이다 (시 57:7)

할렐루야 우리 하나님을 찬양하는 일이 선함이여 찬송하는
일이 아름답고 마땅하도다 (시 147:1)

주여 내 입술을 열어 주소서 내 입이 주를 찬송하여 전파하
리이다 (시 51:15)

새 노래 곧 우리 하나님께 올릴 찬송을 내 입에 두셨으니 많
은 사람이 보고 두려워하여 여호와를 의지하리로다 (시 40:3)

큰 회중 가운데에서 나의 찬송은 주께로부터 온 것이니 주를
경외하는 자 앞에서 나의 서원을 갚으리이다 (시 22:25)

할렐루야 새 노래로 여호와께 노래하며 성도의 모임 가운데
에서 찬양할지어다 (시 149:1)

내가 평생토록 여호와께 노래하며 내가 살아 있는 동안 내
하나님을 찬양하리로다 (시 104:33)

새 노래로 여호와께 찬송하라 그는 기이한 일을 행하사 그의
오른손과 거룩한 팔로 자기를 위하여 구원을 베푸셨음이로다
(시 98:1)

하나님은 온 땅의 왕이심이라 지혜의 시로 찬송할지어다 (시 47:7)

시를 읊으며 소고를 치고 아름다운 수금에 비파를 아우를지어다 (시 81:2)

주를 찬송함과 주께 영광 돌림이 종일토록 내 입에 가득하리이다 (시 71:8)

내가 여호와의 인자하심을 영원히 노래하며 주의 성실하심을 내 입으로 대대에 알게 하리이다 (시 89:1)

새 노래로 여호와께 노래하라 온 땅이여 여호와께 노래할지어다 여호와께 노래하여 그의 이름을 송축하며 그의 구원을 날마다 전파할지어다 (시 96:1-2)

항해하는 자들과 바다 가운데의 만물과 섬들과 거기에 사는 사람들아 여호와께 새 노래로 노래하며 땅 끝에서부터 찬송하라 (사 42:10)

시와 찬송과 신령한 노래들로 서로 화답하며 너희의 마음으로 주께 노래하며 찬송하며 (엡 5:19)

그들이 보좌 앞과 네 생물과 장로들 앞에서 새 노래를 부르니 땅에서 속량함을 받은 십사만 사천 밖에는 능히 이 노래를 배울 자가 없더라 (계 14:3)

151. 하늘 마음

깊이와 높이의 비례
깊이와 높이의 향상성

깊어지고 깊어지면
올라가고 올라가리

세상의 눈 사람의 눈
낮은 마음 땅의 마음

마음의 눈 하늘의 눈
높은 마음 하늘 마음

깊은 마음 하늘 마음
하늘 마음 하늘 세계

땅의 마음 땅의 기도
하늘 마음 하늘 기도

땅의 기도 땅의 세계
하늘 기도 하늘 세계

땅의 세계 움직여도
잠시 후면 썩어질 것

하늘 세계 움직이면
영원토록 빛이 날 것

땅의 세계 움직이면
사람 뜻을 이루리

하늘 세계 움직이면
하늘 뜻을 이루리

하늘 마음 하늘 기도
하늘 기도 하늘 세계

152. 마음의 주인

빛나는 보좌
비어있는 보좌

영광의 보좌
주인 없는 보좌

능력의 보좌
청소된 보좌

누구의 것인가?
누굴 위한 것인가?

거처간 자 많고
노리는 자 많네

진정한 주인을 찾으라
진정한 주인을 모시라

누가 주인인가?
누구의 자리인가?

알기는 쉬워도
찾기는 어렵네

찾기는 쉬워도
모시긴 어렵네

너의 보좌 확인하라
너의 보좌 바라보라

곧 주인이 확정되리
곧 주인을 보게 되리

153. 축제의 시작

타들어가는 도화선
점화되면 터지리

두 줄의 도화선
점화되면 터지리

한 줄은 폭죽 향해
한 줄은 폭탄 향해

두 줄의 도화선
방향은 다르네

두 줄의 도화선
속도는 같으리

폭죽이 터지리
축제의 폭죽

폭탄이 터지리
진동의 폭탄

축제와 함께
진동이 시작되리

그 누구도 생각 못한
축제의 진동

하늘을 빛내리
온 땅을 진동시키리

축제의 주인공아
진동의 주인공아

축제를 준비하라
진동을 준비하라

카운트를 세어라
곧 시작되리

축제가 시작되리
진동이 시작되리

154. 마지막 기회

불은 이미 준비됐네
불은 이미 충분하네

심판의 불 멸망의 불
저주의 불 파괴의 불

악한 길을 돌이키라
심판의 불 보류됐네

악한 행위 멈추어라
멸망의 불 유보됐네

너의 삶을 돌아보라
저주의 불 대기하네

외치어라 알리어라
끝이 다가 왔다고

마지막 기회 붙들라
마지막 주자여 명심하라

소돔과 고모라를 기억하라
귀 있는자 들으리

나의 마음 가지라
나의 눈물 가지라
나의 긍휼 가지라

후회해도 소용 없으리
지금이 유일한 기회이리

155. 빛의 상자

아침 햇살처럼 눈부시게
밝은 빛을 발하라

반짝이는 햇살 아래
만물이 소생되네

어둠 속에 웅크리며
포근함을 기다리네

어둠 속에 갈 길 몰라
길을 찾아 헤매이네

빛의 상자 문을 열라
하늘열쇠 맞추어라

빛의 상자 문을 열면
거대한 빛줄기 뻗어가리

빛의 무게 빛의 속도
가늠되지 못하리

문을 활짝 열라
빛줄기가 터지도록

문을 여는 열쇠
힘차게 돌리어라

156. 삶의 이유

꽃이 아름다운 이유
향기를 내기 때문

나무가 아름다운 이유
공기를 뿜기 때문

해가 아름다운 이유
빛을 발하기 때문

바람이 아름다운 이유
힘을 주기 때문

네가 아름다운 이유
사랑하기 때문

네가 사는 이유
사랑하기 위해

네가 사랑하는 이유
향기 내기 위해

네가 사랑하는 이유
빛을 발하기 위해

네가 사랑하는 이유
생명을 주기 위해

네가 사랑하는 이유
삶의 이유 되기 위해

향기 되어 빛이 되어
생명 되어 삶이 되니

향기 되고 빛이 되고
생명 주어 삶이 되리

삶이 삶을 알고
삶이 삶을 주어

삶이 삶이 되면
삶이 빛이 되리

살아가는 이유 되리
사랑하는 이유 되리

157. 택함의 이유

화려하지 않기에
똑똑하지 않기에

부유하지 않기에
잘나지 않기에

능력 있지 않기에
보일 것이 없기에

나를 나타낼 수 있기에
그래 너를 택함일세

너를 통해 영광이
너를 통해 부유가

너를 통해 능력이
너를 통해 생명이

너를 통해 사랑이
너를 통해 영원이

네가 내가 되어
나를 나타내리라

158. 생명의 태풍

태풍이 되어라
막지 못할 거대한 태풍

태풍이 되어라
소멸되지 않는 태풍

태풍이 되어라
변질되지 않는 태풍

태풍의 눈이 되어
태풍을 몰고 가라

바다를 뒤집어라
바다가 살아나리

나무를 뽑아라
뿌리채 뽑아라

간판을 떼어 날려라
화려하나 더러운 간판

건물을 분쇄하라
새롭게 세워지리

태풍이 지나가면
해가 밝게 빛나리

태풍이 지나가면
만물이 새로워지리

159. 비통함의 이유

목이 터지도록
외치고 또 외쳐도

온 몸이 젖도록
몸부림 치고 또 쳐도

밤을 지새우며
찾고 또 찾아도

답답한 맘 변치않고
비통한 맘 여전하네

능력이 없어서...
아닙니다!

약속이 없어서...
아닙니다!

지혜가 없어서...
아닙니다!

가진 것이 없어서...
아닙니다!

그런 것은...
없어도 됩니다!

비통함은...
주님 당신이 없기 때문입니다!

나의 주인 나의 신랑
나의 왕 나의 사랑
주 예수 그리스도여!

오늘도 여전히
당신을 구합니다!

오늘도 여전히
당신을 기다립니다!

160. 사랑으로 오소서!

보일 듯이 보이지 않고
잡힐 듯이 잡히지 않고

들릴 듯이 들리지 않고
느낄 듯이 느껴지지 않네

주님 얼굴 보고 싶네
주님 손을 잡고 싶네

주님 음성 듣고 싶네
주님 사랑 알고 싶네

눈이 감겨 보지 못해
힘이 없어 잡지 못해

귀가 닫혀 듣지 못해
사랑 없어 알지 못해

주님 없어 눈이 감겨
주님 없어 힘이 없어

주님 없어 귀가 닫혀
주님 없어 사랑 없어

주님 오면 보게 되리
주님 오면 잡게 되리

주님 오면 듣게 되리
주님 오면 알게 되리

오소서 오소서
나의 주여!

오소서 오소서
사랑으로 오소서!

161. 나의 사랑 오신 날

그날에는 기뻐하리
그날에는 자랑하리

그날에는 춤을 추리
그날에는 소리치리

그날에는 노래하리
그날에는 사랑하리

그날에는 사랑하리
그날에는 함께 가리

나의 사랑 오신 날
나의 주님 모신 날

나도 알고 너도 알리
알아지리 알려지리

설레이는 이 아침
단장하며 기다리네

162. 신랑 오면

신랑 오면 바보 되리
사랑 따라 순종하리

신랑 오면 몸이 되리
사랑 따라 행케 되리

신랑 오면 손이 되리
사랑 따라 섬김 되리

신랑 오면 발이 되리
사랑 따라 걸어가리

신랑 오면 눈이 되리
사랑 따라 눈물 되리

신랑 오면 입이 되리
사랑 따라 증인 되리

신랑 오면 나는 없어
나는 바보 주만 있네

나의 기쁨 오직 예수
주만 있고 나는 없네

163. 기다리는 마음

얼마나 따스할까?
얼마나 포근할까?

나의 사랑 만져주면
나의 사랑 안아주면

얼마나 달콤할까?
얼마나 두근댈까?

나의 사랑 입 맞추면
나의 사랑 속삭이면

생각만도 부푼 마음
기다리고 기다리네

단장되면 오마 하신
나의 사랑 나의 신랑

꿈이 아닌 바람 아닌
나의 주님 오십소서

164. 물과 물의 만남

댐에 물을 채우라
가득 가득 채우라

채우고 또 채우라
아구까지 채우라

도르레를 돌리라
수문을 열어라

물이 흘러가리라
거대한 물주기 되리

마을은 수몰되리
산봉우리 솟아나리

물과 물이 만나리
큰 물이 세워지리

무지개로 기억되라
일곱빛깔 무지개

165. 주님 앓이

주님 앓이 사랑 앓이
상사병에 걸리도록

보지 못해 마음 앓이
보고 싶어 주님 앓이

듣지 못해 마음 앓이
듣고 싶어 주님 앓이

알지 못해 마음 앓이
알고 싶어 주님 앓이

앓이 앓이 사랑 앓이
앓이 앓이 주님 앓이

마음 앓이 기쁨 되고
사랑 앓이 노래 되리

마음 앓이 춤이 되고
주님 앓이 사랑 되리

그 사랑의 깊이
그 사랑의 높이
그 사랑의 넓이
측량 못할 사랑이여

166. 나의 주님 자랑

한 송이 꽃을 들고
주님에게 달려가네

열매 없어 꽃만 들고
향기 내며 달려가네

나의 향기 좋아할까
나의 향기 기뻐할까

드릴 것은 오직 향기
시들기 전 가야하리

나의 꽃을 받아주오
나의 향기 받아주오

나의 사랑 열매 주리
만나면은 열매 주리

배부르게 먹게 되리
나누고도 남게 되리

열매 들고 달려가리
나의 사랑 줬다 하리

먹어보라 자랑하리
나누고도 남게 되리

나의 사랑 줬다 하리
나의 주님 줬다 하리

나의 사랑 자랑하리
그리하고 싶네

나의 주님 자랑하리
진정 그리하고 싶네

167. 만남의 축복

어색함이 변하여
익숙함이 되고

미숙함이 변하여
능숙함이 되고

미련함이 변하여
총명함이 되고

상이함이 변하여
동일함이 되고

좋아함이 변하여
사랑함이 되고

네가 변하여
내가 되고

타인이 변하여
친구가 되고

친구가 변하여
하나가 되니

만남의 힘이라오
만남의 축복이라오

168. 순종의 노래

둘 중 하나는 진리
둘 중 하나는 진실

둘 중 하나는 사랑
둘 중 하나는 마음

믿음은 선포
기도는 사랑

선택의 갈림길
사랑의 선택

부름은 하나
응답은 갈래

순종은 하나
응답은 갈래

순종은 능력
순종은 사랑

사랑의 부름
사랑의 응답

화음이 될 때
아름다움 퍼지리

노래가 될 때
평안을 세우리

169. 찬양의 이유

찬양하라 찬양하라
소리 높여 찬양하라

찬양하라 찬양하라
손을 높여 찬양하라

찬양하라 찬양하라
몸을 다해 찬양하라

찬양하라 찬양하라
맘을 다해 찬양하라

찬양하라 찬양하라
영을 열어 찬양하라

찬양 속에 너를 담아
찬양 안에 나를 만나

바라보며 마주잡고
속삭이며 춤을 추니

하늘 평안 하늘 기쁨
하늘 사랑 이룸일세

170. 생명의 땅

비가 오지 않는 땅
굳어지고 갈라지리

황폐한 땅 버려진 땅
생명향기 말라가리

비의 소리 노래 소리
물의 소리 춤의 소리

비를 먹은 시원한 땅
물을 품은 기쁨의 땅

생명향기 피어나리
생명향기 퍼져가리

빛의 열기 힘찬 함성
생명의 아지랑이 오르리

생명의 손 덮어주어
안식처가 되어주리

생명의 땅 향기의 땅
시원한 바람소리

걷게 되리 맡게 되리
쉼의 터전 일의 터전

이 곳이 그 자리요
그 곳이 내 자리일세

171. 한 걸음씩

쉬 가라 쉬 가라
짐 내려놓고 쉬 가라

쉬 가려마라 쉬 가려마라
짐 지고 쉬 가려마라

목적지는 정해졌네
시간도 정해졌네

쉬 가지 아니하면
끝내 가지 못하리

쉬 가려 한다면
반드시 넘어지리

과정을 지키라
순서를 따르라

길은 걸어야 하리
밥은 먹어야 하리

한 걸음 뒤에
또 한 걸음 있네

배가 부른 후에
힘이 나게 되네

알아야 되리라
이뤄야 하리라

쉬 가려 아니해도
쉬 가게 되리라

172. 백지 위에

백지 위에 그리리
높은 하늘 뭉게구름

백지 위에 그리리
높은 산 푸른 나무

백지 위에 그리리
시원한 샘물

백지 위에 그리리
거대한 물줄기

백지 위에 그리리
아름다운 새의 소리

백지 위에 그리리
우렁찬 폭포소리

백지 위에 그리리
사랑의 세레나데

백지 위에 그리리
아름다운 궁궐

백지 위에 그리리
빛나는 궁전

흠도 없고 티도 없는
백지 위에 그리리

영원히 보고 또 보도록
백지 위에 그리리

173. 빛이 되는 길

강 건너 불 구경 하듯
안전하다 하지말라

강 건너 불 구경 하듯
즐기기만 하지말라

강 건너 불 구경 하듯
어찌되나 보자 말라

강 건너 불 구경 하듯
기다리자 하지말라

강을 건너 들어오라
불 속으로 들어오라

불 속에 앉아 있으라
연기 속에 앉아 있으라

얼굴을 구하라
빛을 구하라

얼굴을 보아라
빛을 보아라

불이 되리라
연기를 발산하리

빛이 되리라
빛을 비추리라

174. 멈추지 않는 걸음

사시사철 푸르러라
사시사철 자라나라

사시사철 열매 달라
사시사철 향기 내라

물을 먹어 춤을 추라
바람 따라 움직여라

고갤 들어 하늘 보라
빛을 따라 바라보라

훌훌 털고 날아가라
소리 따라 퍼져가라

큰 소리로 선포하라
새들 따라 지저귀라

돌아온다 생각마라
흔적조차 없어지리

돌아가려 하지마라
이전 영광 덧없으리

돌아가려 하지마라
먼저 간 자 교훈되리

인내하며 걸어가라
춤을 추며 달려가라

한 걸음이 마지막이요
한 걸음이 시작이리

끝이라고 생각마라
걸음 걸음 시작이리

175. 생명의 군사

승리의 군사들아
일어나라 소리치라

영광의 군사들아
높이 뛰라 찬양하라

경배의 군사들아
선포하라 춤을 추라

하늘에서 진동하면
땅에서도 진동하리

푸른 빛이 물결치리
생명의 군사들아

죽게 된 자 살게 되리
죽음 권세 쫓겨가리

신을 신고 칼을 들라
투구 쓰고 방패 들라

죽음 앞에 떠는 자여
담대하고 담대하라

죽음 앞에 놓인 자여
잠잠하고 평안하라

밝은 빛이 떠오르니
태양빛이 무엇하리

세찬 바람 불어오니
가만 서서 어찌하리

빛을 따라 나아가라
바람 타고 날아가라

두려운 자 떨어지리
머무는 자 날려지리

믿음이 없는 자여
왜 두려워하느냐?

176. 향기동산 찾는 길

방울방울 새벽이슬
꽃잎 위에 맺혀있네

방울방울 아침이슬
촉촉하게 땅을 덮네

떨어지는 이슬방울
마시면서 걸어가네

산들산들 새벽바람
고요하게 흘러가네

산들산들 아침바람
향기로 덮쳐오네

바람 따라 우수수수
낙엽비가 떨어지네

한장 한장 밟고 가네
낙엽 위를 걸어가네

모자라지 아니하게
부족하지 아니하게

향기동산 찾아가네
나의 동산 찾아가네

177. 오직 하나 사랑만

마음이 눈이요
눈이 마음이네

마음으로 보고
눈으로 보네

마음에 사랑 트이고
눈에서 사랑 트이네

마음에서 돌을 빼고
눈에서 들보 빼라

마음에서 생수 흘러
적시고 고치리

눈에서 샘물 흘러
치유하고 변화되리

마음이 보여지면
눈으로 보게 되리

눈으로 보게 되면
마음이 변화하리

마음으로 보고
눈으로 보라

마음으로 행하고
눈으로 행하라

마음에도 하나만
눈에도 하나만

모두 빼고 오직 하나
사랑만 더하라

178. 사랑의 삶

거저 얻지 못하리
수고함이 사랑이라

거저 얻지 못하리
희생함이 사랑이라

거저 얻지 못하리
인내함이 사랑이라

거저 얻지 못하리
기도함이 사랑이라

거저 얻지 못하리
기뻐함이 사랑이라

거저 얻지 못하리
감사함이 사랑이라

사랑하는 자여!
사랑하기 때문이라

179. 생명물의 순환

거대한 빙산 보라
너의 손에 녹아지랴

단단한 바위 보라
너의 손에 깨어지랴

한 줌의 눈덩이면
녹아져서 물이 되리

한 줌의 흙덩이면
부서져서 가루 되리

나의 품에 안기어라
빙산이 녹아지리

나의 손에 잡히어라
바위가 부서지리

열풍아 불어쳐라
빙산이 녹아지게

불방망이 내리쳐라
바위가 깨어지게

샘물아 흐르거라
생수야 솟구쳐라

댐에 물이 가득차면
수문이 개방되리

물이 닿는 곳곳마다
사망이 생명 되리

흐르지 않는 물은
사망을 생산하리

물은 돌고 돌아
고향으로 돌아가리

물은 흐르고 흘러
하늘로 올라가리

180. 영원한 빛과 함께

동쪽을 바라보라
밝은 해가 떠오르네

땅과 하늘 바다까지
붉은 물감 색칠하네

떠오르는 해를 보라
하루가 시작되네

가방을 챙겨들고
일터로 바삐 가네

빛 속을 걸어가면
그림자가 동무 되리

빛 속을 걷는 자여
그림자와 벗하지 말라

손 내밀어 잡으려도
잡혀지지 않으리

실상인 듯 보이나
허상임을 알게 되리

해가 지면 빛 속으로
영원히 감춰지리

영원을 사모하는 자여
영원을 살아가라

영원한 빛과 함께
영광을 살아가라

181. 부르심과 선택

부르고 또 불러보네
어리석음을 모르는 자여

부르고 또 불러보네
곁눈질을 즐기는 자여

부르고 또 불러보네
건망증이 익숙한 자여

부르고 또 불러보네
게으름이 왕된 자여

부르고 또 불러보네
왕을 자청한 자여

저울질은 그만하라
한 쪽 손은 놓아라

너도 알고 나도 아는
결정된 결과이네

선택은 너의 몫
책임도 너의 몫

뿌린 대로 거두리
심은 대로 거두리

머리가 향하는 곳
마음이 향하는 곳

위와 아래 둘 중 하나
어디를 향하느냐?

182. 사랑으로 하나 될 때

생명이 생명을 부르고
생명이 생명을 낳으리

사랑이 사랑을 부르고
사랑이 사랑을 낳으리

생명이 사랑을 부르고
사랑이 생명을 낳으리

몸은 하나 지체는 다수
생명으로 하나되리

머리는 하나 지체는 무리
사랑으로 하나 되리

생명은 하나 사랑은 하나됨
생명은 자석 사랑은 보석

하나가 열을 통치하리
열이 하나에 순종하리

생명은 순종 사랑은 통치
생명은 삶 사랑은 죽음

생명은 피 사랑은 물
생명은 동일 사랑은 합일

생명이 사랑되어
사랑과 하나 될 때

생명의 향기 되리
사랑의 향기 날리리

183. 마음문을 열면

문을 닫고 문을 열라
문을 닫고 문을 열라

한 번도 닫힌 적이 없는
자물쇠가 없는 문

누구나 드나들 수 있는
항상 열려 있는 문

닳고 닳고 닳고 닳아
자동문이 되었네

열린 문을 닫어라
어서 빨리 닫어라

한 번도 열린 적이 없는
손잡이가 없는 문

아무도 열 수 없는
단단히 잠긴 문

아무리 두드려도
응답조차 없네

닫힌 문을 열어라
어서 빨리 열어라

정상으로 올라가는
마지막 길에 있는

문을 열면 비쳐오리
찬란한 빛 비쳐오리

문을 열면 들어가리
영광 안에 들어가리

문을 열면 보게 되리
얼굴빛을 보게 되리

문을 열면 듣게 되리
사랑 노래 듣게 되리

문을 열면 알게 되리
문을 열면 알게 되리

184. 보이지 않는 진리

지식은 이론을 만들고
이론은 허상을 만들고
허상은 사망을 낳으리

믿음은 진리를 만들고
진리는 실상을 만들고
실상은 생명을 낳으리

참 믿음과 거짓 믿음
실상과 허상
생명과 사망

겉은 하나요 속은 둘
진리는 하나 간구는 둘
생명은 하나 믿음은 둘

보이는 것이 참인가?
보이지 않는 것이 참인가?

185. 천국향기

사랑의 오겹줄 두르라
겸손 섬김 희생 나눔 사랑
나의 능력 되리라

기쁨의 옷 입으라
감사의 옷 입으라
나의 영광 되리라

마지막 죽음
머리가 잘린 자
나의 몸이 되리라

절대 믿음 절대 순종
절대 기쁨 절대 감사
천국이 되리라
천국을 살리라

천국꽃이 만발하리
천국꽃길 펼쳐지리
천국향기 풍겨나리

바람과 함께 꽃길 만들리
바람과 함께 향기 날리리

186. 하나 되는 믿음

보이는 것을 믿는 믿음
보이지 않는 것을 믿는 믿음

보이지 않는 것을 믿는 믿음
보이지 않는 것을 보는 믿음

보이지 않는 것을 보는 믿음
보이지 않는 것을 보이는 믿음

보이지 않는 것을 보이는 믿음
보이는 이를 믿는 믿음

보이는 이를 믿는 믿음
보이는 이와 하나 되는 믿음

너는 무엇을 원하느뇨?

187. 진실된 사랑

원하는 자는 많으나
믿는 자는 없네

부르는 자는 많으나
기다리는 자는 없네

찾는 자는 많으나
만나려는 자는 없네

욕심으로 치장한 자
자기 배만 위하는 자

말로만 사랑
말로만 헌신

어둠의 옷 벗으라

진실된 마음
진실된 사랑

빛의 옷을 입으라

진실된 마음
겉과 속이 하나이리

진실된 사랑
생명과 삶이 하나이리

진실된 사랑
참된 열매 맺으리

절대 믿음 절대 순종함이
절대 기쁨 절대 감사 되리

188. 사모함과 경외함

손뼉 치며 찬양하라
발 구르며 찬양하라

춤을 추며 찬양하라
소리 높여 찬양하라

손을 들어 경배하라
머리 숙여 경배하라

무릎 꿇어 경배하라
엎드리어 경배하라

기다림은 기쁨이요
맞이함은 감사요

기다림은 사모함이요
맞이함은 경외함이네

사모함은 기쁨과 감사
경외함은 믿음과 순종

사모하는 자 청종하라
경외하는 자 복종하라

189. 주님 때문에

눈과 눈을 마주보고
마음과 마음이 하나 되어

함께함이 기쁨이고
함께함이 행복입니다

부르심도 감사한데
택하심도 감사한데

이 어찌 큰 은혜인지요
이 어찌 큰 사랑인지요

이 소자 연약하여
할 수 없는 것

주님은 아시오니

행여나 실족될까
행여나 실망할까

행여나 상처될까
행여나 아파할까

노심초사 주님 마음
보듬으신 주님 마음

천하태평 나의 마음
주님 마음 몰라주네

알게 하심 큰 은혜요
힘을 주심 큰 사랑이네

기쁨도 주님 때문
감사도 주님 때문

오늘도 달려감이
주님 때문입니다

190. 천지의 시작

천지가 시작될 때
사랑이 시작됐네

천지가 시작됐네
사랑이 무르익네

천지가 시작됐네
사랑이 열매 맺네

천지 안에 유일한 사랑
영원히 변치 않는 사랑

천지가 시작되네
사랑의 노래가 퍼지네

천지의 시작을 알리네
빛의 소리 퍼져가네

일어나라 일어나라
천지사방 알리어라

알리어라 알리어라
빛의 편지 들고 가라

달려가라 달려가라
빛의 노래 부르면서

바람을 타고 가라
빛난 옷을 입고 가라

191. 두드림의 시간

두드림의 시간
기다림의 시간

두드림의 시간
인내의 시간

두드림의 시간
고요의 시간

두드림의 시간
기다렸던 시간

두드림의 시간
사랑의 시간

누구도 알 수 없는 시간
허락된 자만 아는 시간

시간과 시간 사이
시간으로 연결되리

흐르고 흐르는 길
사랑으로 연결되리

192. 다채로운 사랑

보석처럼 빛나리
맑고 맑은 사랑아

태양처럼 비추리
밝고 밝은 사랑아

수정처럼 맑으리
순수한 사랑아

솜털처럼 포근하리
따뜻한 사랑아

감추어도 드러나리
순백의 사랑아

사랑이라 말하라
진실된 사랑아

사랑이면 된다 하라
순결한 사랑아

보여주고 볼 수 있는
실상의 사랑아

너의 안에 나의 안에
하나인 사랑아

사랑한다 말하라
영원의 사랑아

193. 맑은 물

흐르고 또 흐르는
맑은 물 한 줄기

깊고 깊은 산 속에서
맑은 물이 되었도다

발길도 닿지 않는
깊고 깊은 산 속에서

모여 모여 모여서
맑은 물이 되었도다

차고 차고 차고 차서
길이 되어 나갔도다

굽이 굽이 굽이치는
좁고 좁은 길을 따라

흘러 흘러 흘러가서
큰 강이 되었도다

밀려 밀려 밀려가서
바다를 만났도다

깊고 깊은 바다 속에
넓고 넓은 바다 속에

맑은 물아 맑은 물아
생명으로 잠기어라

맑은 물아 맑은 물아
사랑으로 증발되라

푸른 하늘 맑은 구름
아름답다 맑은 물아

194. 아름다운 새의 소리

밤새 우는 새의 소리
밤새 우는 새의 소리

누굴 찾아 그리 우나
밤새 우는 새의 소리

사랑 잃어 사랑 찾아
밤새 우는 새의 소리

마음 아파 홀로 되어
밤새 우는 새의 소리

동녘 하늘 바라보며
밤새 우는 새의 소리

그가 듣게 외쳐대는
밤새 우는 새의 소리

기다림이 만남 되어
우는 소리 노래 되어

날개치며 날아가리
노래하는 새의 소리

그때에는 밝혀지리
노래하는 새의 소리

그때에는 알게 되리
노래하는 새의 소리

아름답게 피어나리
노래하는 새의 소리

함께 모여 노래하리
아름다운 새의 소리

하늘소리 파도치리
하늘노래 물결치리

195. 사랑하는 자의 노래

기다림이 사랑 되어
주님만을 사모하네

그리움이 눈물 되어
주님만을 불러보네

만져주심 감사 되어
주님만을 찬양하네

채워주심 기쁨 되어
주님만을 찬양하네

들려주심 행복 되어
주님만을 노래하네

만날 날이 기다려져
주님 앞에 춤을 추네

약속하심 감격 되어
주님 앞에 고백하네

196. 작은 물고기 한 마리

깊은 산속 맑은 샘물
작은 물고기 한 마리

맑은 물이 좋아서
혼자 놀기 좋아서

맑은 물을 사랑했네
맑은 물을 지키었네

물이 불어 흘러 넘쳐
작은 물고기 쓸려가네

물을 거슬러 물을 거슬러
남으려도 소용없네

물을 따라 가는 여정
새 세상을 마주하네

기쁨도 슬픔도
기대도 두려움도

주어지는 모든 것을
감사하며 가는 여정

어느덧 저 멀리 보이네
넓은 바다 보여지네

두려움에 돌아가려
돌아서도 소용없네

흘러 흘러 바라보니
푸른 바다 앞에 있네

친구가 함께 가니
이제는 두려움 없네

작은 물고기 한 마리
큰 물고기 되어가네

작은 물고기 한 마리
친구 손을 잡고 가네

다시 오길 다짐하며
바다로 함께 가네

197. 주님 앞에 앉아

하루 하루 시간 흘러
약속의 날 다가오네

기대하며 기다리네
주님만을 기다리네

나의 모습 부끄러워
주저 주저 망설여도

괜찮다고 하신 주님
특별하다 하신 주님

사랑한다 하신 주님
어서 오라 하신 주님

감사하여 감격하여
기쁨으로 찬양하며

감사하단 말 밖에는
사랑한단 말 밖에는

드릴 것이 없는 이 몸
이 몸도 드리지 못 해

부끄럽고 죄스러워
주님 앞에 앉아있네

주님 은혜 구하오니
주님 뜻을 이루소서

주님 길로 인도하고
주님 사랑 이루소서

198. 표현 못할 주님 사랑

천한 이 몸 천한 이 몸
죽기 밖에 죽기 밖에

택하셔서 부르셔서
크신 은혜 크신 은혜

십자가 위 십자가 위
크신 사랑 크신 사랑

주님 피로 주님 피로
깨끗하게 씻겨졌네

내 죄 사해 내 죄 사해
무한 감사 무한 기쁨

성령 부어 성령 채워
기쁨 감사 나를 인도

주님 생명 나의 생명
생명은혜 무한 감사

내가 죽어 나는 죽어
따라 가리 따라 가리

측량 못할 주님 은혜
표현 못할 주님 사랑

감사 감사 감사 감사
감사 감사 감사 감사

천번 감사 만번 감사
입이 닳아 입이 닳아

감사 감사 또 감사
감사 감사 또 감사

199. 주님 몸을 만드소서

덕지덕지 죄로 가득
천한 이 몸 천한 이 몸

덕지덕지 죄로 인해
추한 이 몸 추한 이 몸

아버지 앞 설 수 없어
버림 받은 자식이라

주의 사랑 나를 살려
아버지의 은혜 받네

주의 피로 나를 씻어
아버지의 은혜 받네

주는 죽고 나는 살아
아버지의 사랑 받네

주의 사랑 잘못 받아
아버지는 근심 가득

주의 사랑 흘려버려
주님 마음 눈물 가득

한 번 죽어 아니 되면
만 번이라 올라가리

한 번이면 충분하니
그런 말씀 마옵소서

저의 불충 탓이오니
그런 말씀 마옵소서

나를 죽여 나를 죽여
주님 몸을 만드소서

주는 살고 나는 죽어
존귀한 몸 만드소서

나를 죽여 주옵소서
주님 몸을 삼으소서

200. 사랑 향기 진동

나의 피로 너를 씻어
너의 영혼 정케 되네

죄가 있어 주저 하나
죄가 있어 은혜 받네

죄가 있어 어둠 사나
죄가 있어 빛이 되네

죄가 있어 세상 사나
죄가 있어 거룩 되네

죄가 있어 지옥 사나
죄가 있어 천국 되네

죄로 인해 사망 되나
죄로 인해 생명 되네

죄로 인해 사망 얻나
죄로 인해 나를 얻네

너를 보고 판단 말고
너를 통해 나를 보라

믿고 순종 하는 자는
기쁨 감사 넘쳐 나네

기쁨 감사 넘쳐 흘러
사랑 향기 진동 하네